Henk Hokke

China in zicht!

Tekeningen van Helen van Vliet

Zwijsen

plus

De Nederlandse Kinderjury 2008

avi 9

LEESNIVEAU

		ME	ME	ME	ME	ME		
AVI	S	3	4	5	6	7	P	
CLIB	S	3	4	5	6	7	8	P

avontuur

Toegekend door Cito i.s.m. KPC Groep

Boeken met dit vignet zijn op niveaubepaling geregistreerd en gecontroleerd door KPC Groep te 's-Hertogenbosch.

1e druk 2007
ISBN 978.90.276.7257.5
NUR 282

Voor België:
Zwijsen-Infoboek, Meerhout
D/2007/1919/422

Inhoud

1. De uitnodiging

'Florian, luister eens even.'
Florian staat op als hij de stem van zijn moeder hoort. Hij is in de achtertuin bezig om zijn fiets schoon te maken. Het is een klusje dat hij elke zaterdag moet doen. Dat heeft hij er graag voor over, want hij heeft de mooiste fiets van alle jongens uit zijn klas.
Florian legt de poetslap naast zijn fiets en holt zo vlug als hij kan naar de keuken. Aan de stem van zijn moeder kon hij horen dat ze iets leuks te vertellen heeft.
De moeder van Florian legt net de telefoon op de keukentafel.
'Wat is er, mam?' vraagt Florian nieuwsgierig.
'Waarom heb je me geroepen?'
Zijn moeder doet net alsof ze heel diep nadenkt.
'Oei, wat wilde ik je nou ook alweer vertellen?' zegt ze met een zucht. 'Nou ben ik het toch plotseling weer helemaal vergeten, zeg.'
'Mam, doe nou niet zo flauw!' roept Florian.
'Oké oké, ik zal het vertellen,' zegt zijn moeder lachend. 'Ik had zojuist oom Enzio aan de telefoon en hij vertelde ...'
Florian laat haar niet uitpraten.
'Gaan we ernaartoe?' roept hij juichend.
Zijn moeder steekt een hand omhoog.

'Als je me nou eventjes laat uitpraten, dan weet je waar het over gaat.'
Florian knikt braaf en doet net alsof hij zijn mond met een sleutel op slot draait.
'Ik had dus net oom Enzio aan de telefoon,' herhaalt zijn moeder. 'En hij vertelde dat hij gisteren een nieuwe computer heeft gekocht. Nou, dan snap je de rest waarschijnlijk wel.'
Florian knikt.
'Ja, want nou moet jij komen om hem te helpen met het aansluiten van de computer,' zegt hij.
Florian grinnikt als hij aan oom Enzio denkt. Oom Enzio is de leukste oom die hij heeft, maar hij is ook de onhandigste oom. Vooral als het met computers te maken heeft, snapt oom Enzio er vaak helemaal niets van. Toch heeft hij de computer elke dag nodig voor zijn werk. Hij schrijft prachtige natuurboeken over het eiland waar ze wonen en tante Lieneke maakt de foto's die erbij horen.
'Zo is het precies,' zegt de moeder van Florian, 'en het moet natuurlijk zo snel mogelijk.'
De ogen van Florian glinsteren.
'Wanneer gaan we erheen, mam?' vraagt hij smekend.
'We nemen morgenochtend de boot,' antwoordt zijn moeder, 'en dan blijven we er drie nachten logeren.'
'Yes!' roept Florian en hij springt van plezier op en neer. 'Maar heeft Willemijn dan volgende week ook vakantie?'
Willemijn is het nichtje van Florian. Ze is net zo oud als hij en ze bedenkt altijd spannende of gekke

dingen.
'Ja, dus dan kunnen jullie mooi samen spelen, terwijl ik me met de computer van oom Enzio bezighoud,' zegt zijn moeder.
'Maar hoe moet het met papa dan?' schrikt Florian opeens. 'Papa moet toch gewoon werken volgende week?'
'Tja, deze keer kan papa jammer genoeg niet mee,' zegt zijn moeder. 'Maar we gaan gewoon met z'n tweetjes. Hoe lijkt je dat?'
Florian geeft geen antwoord, maar denkt even na. Het is natuurlijk jammer dat zijn vader niet mee kan, maar het is ook wel leuk om een keer samen met zijn moeder naar het eiland te gaan. In de vakanties is het altijd gezellig druk op het eiland. Florian is er vorig jaar ook in de zomervakantie geweest. Toen heeft hij samen met Willemijn een museum gemaakt van alle dingen die ze langs het strand hadden gevonden.
Zijn moeder aait over het haar van Florian.
'Papa redt zich wel een paar dagen in zijn eentje,' zegt ze. 'En we bellen hem natuurlijk elke avond om te controleren of hij zijn tanden wel goed heeft gepoetst.'
Florian schiet in de lach.
'Ik stuur straks een mailtje naar Willemijn,' zegt hij, 'en dan vraag ik of ze ons van de boot komt ophalen, net als de vorige keer.'
'Dat lijkt me een uitstekend idee,' zegt zijn moeder, 'maar je moet eerst je fiets verder schoonmaken. En vanavond pakken we samen onze tassen in.'

Florian knikt met een vrolijk gezicht en rent de keuken uit.
Razendsnel poetst hij het laatste stukje van zijn fiets glimmend schoon.
Was het alvast maar morgen! Zouden we met de gewone boot gaan of met de snelle boot? Dat is hij vergeten te vragen aan mama. Met de gewone boot is eigenlijk veel leuker, want dat duurt het langst. Maar met de snelle boot is ook wel spannend, want die zoeft altijd zo mooi over het water.

Als Florian klaar is, zet hij zijn fiets terug in de schuur. Hij holt naar de woonkamer, waar de computer staat. Terwijl hij de computer aanzet en het mailprogramma opent, heeft Florian een gek, draaierig gevoel in zijn maag. Net alsof ... net alsof dit de spannendste vakantie van zijn leven gaat worden.

2. We gaan!

‘Wat heeft Willemijn eigenlijk teruggemaild?’ vraagt de moeder van Florian.
Ze zitten tegenover elkaar op de boot, die over tien minuten zal vertrekken. Florian heeft een colaatje voor zich staan en zijn moeder een kopje thee. Ze hebben afgesproken dat ze op de heenweg met de langzame boot gaan en op de terugweg met de snelle boot.
‘O, ze mailde dat ze ons straks zeker van de boot zal ophalen,’ antwoordt Florian. ‘En natuurlijk dat ze allerlei spannende dingen wil gaan doen, maar dat wil ze altijd als ik bij haar kom logeren.’
Zijn moeder roert glimlachend in de thee.
‘Ja, zeg dat wel. Weet je nog dat ze toeristen een rondleiding over het eiland gaf en dat ze toen zelf in de duinen was verdwaald? De boswachter en de politie moesten eraan te pas komen om hen te vinden.’
Florian knikt en schenkt zijn cola in een bekertje.
‘Ja, en vorig jaar wilde ze zelfgemaakte ijsjes gaan verkopen, maar die waren steeds gesmolten als we ze naar het plein bij de haven hadden gebracht.’
Hij moet lachen als hij aan het beteuterde gezicht van zijn nichtje denkt.

Er klinkt een luid getoeter en Florian gaat met een

ruk rechtop zitten.
'We gaan!' zegt hij vrolijk.
Florians moeder lacht en kijkt op haar horloge. 'We vertrekken in elk geval mooi op tijd,' zegt ze. Ze doet haar tas open en haalt er een krant uit.
Langzaam vaart de boot de haven uit. Florian drukt zijn neus bijna tegen het raam. Hij heeft het al vaker meegemaakt, maar hij vindt het toch telkens weer spannend. Hij weet dat de overtocht bijna twee uur duurt. Zijn vader heeft hem uitgelegd dat de boot niet recht naar het eiland kan varen. De boot moet de vaargeul blijven volgen en daarom duurt het zo lang.
Als zijn moeder de krant gaat lezen, kijkt Florian eens om zich heen. Het is flink druk op de boot en Florian ziet dat alle tafeltjes bezet zijn. Dat komt natuurlijk doordat het vakantie is en door het prachtige weer. Het valt hem op dat veel mensen een hond bij zich hebben. Twee banken verderop zit een vrouw die zelfs twee honden aan haar voeten heeft liggen.
'Mam, mag ik even rondkijken?' vraagt Florian.
Zijn moeder kijkt op van haar krant.
'Jawel, maar ik heb liever niet dat je alleen naar buiten gaat. Als je even buiten wilt kijken, moet je me roepen, want dan loop ik even met je mee.'
Florian knikt gehoorzaam. Hij was toch niet van plan om naar buiten te gaan. Hij staat op en slentert in de richting van de voorkant van de boot. Overal zitten mensen te lezen, te eten en te drinken of gewoon een beetje te kletsen. Een jongetje van zijn

leeftijd kijkt op als Florian langs zijn tafel loopt.
'Hoi,' zegt Florian, maar het jongetje zegt niets terug.
Bij een televisieschermpje blijft Florian een tijdje staan kijken. Je kunt er precies op volgen waar de boot zich bevindt. Ze hebben pas een heel klein stukje afgelegd van de reis naar het eiland.
Florian wil weer teruglopen, als hij opeens in een hoekje een grote man ziet zitten. De man heeft dikke, rode appelwangen en hij draagt een pet. Als hij opkijkt en Florian ziet, wenkt hij Florian. Die kijkt verbaasd om zich heen of de man hem bedoelt, maar er is verder niemand in de buurt. Florian aarzelt nog even en stapt dan op de man af. Wat zou hij van hem willen?

...

3. Vreemde dingen

Florian komt bij de tafel van de man staan en kijkt hem vragend aan.
'Ga maar even zitten,' zegt de man en hij wijst naar de stoel tegenover hem. Florian doet wat de man zegt.
'Hoe heet je?' vraagt de man met een zware bromstem.
Als Florian zijn naam noemt, krabt de man een paar keer aan zijn grijze stoppelbaard.
'Ga je naar het eiland?' gaat de man verder.
Florian vindt het een beetje een rare vraag. Iedereen die op deze boot is, gaat toch naar het eiland?
Florian knikt en de man kijkt een paar keer geheimzinnig om zich heen.
'Ze zeggen dat er vreemde dingen op het eiland gebeuren,' zegt de man fluisterend.
Het klinkt zo spannend, dat Florian een rilling over zijn rug voelt lopen.
De man buigt zich een stukje voorover naar Florian, zodat de klep van zijn pet bijna de neus van Florian raakt.
'Ze zeggen ...'
Hij wacht een paar seconden en kijkt Florian doordringend aan.
'Ze zeggen dat er monsters op het eiland leven die loslopende kleine kinderen vangen om ze voor hen

te laten werken.'
'Monsters bestaan niet eens,' zegt Florian dapper, 'alleen in sprookjes.'
De man zet zijn ellebogen op de tafel en vouwt zijn handen.
'Dat zeggen bijna alle mensen,' zegt hij zacht, 'maar je kunt mij maar beter geloven. Het zijn monsters die voor niets en niemand bang zijn. Ze wonen in een hol in de duinen en daar loeren ze op loslopende kinderen. Als je bij hen in de buurt komt, ben je nog niet jarig. Ze vangen je en dan moet je je hele leven voor hen werken. En als je dat niet doet, dan sluiten ze je op in een donker hok met tien sloten op de deur. En dan krijg je nog maar één keer per dag een beetje eten. En weet je wat je te eten krijgt? Alleen maar spruitjes, rode bietjes en een glas melk erbij met een dik vel erop.'
Florian griezelt als hij aan de spruitjes denkt en aan het vel op de melk. Hij weet niet goed wat hij moet zeggen. Hij kijkt eens achterom naar zijn moeder, maar die zit nog steeds in haar krant te lezen.
'Ik eh ... ik geloof niet dat er monsters bestaan,' zegt hij dan. 'Nou ja, geen monsters die kinderen vangen, bedoel ik.'
De man spreidt zijn armen en zucht een paar keer diep. 'Nou, dan geloof je me maar niet,' zegt hij. 'Maar kom niet bij me zeuren als je door zo'n monster wordt achtervolgd.'
Hij draait zich om en kijkt uit het raam. Florian staat op en blijft nog even staan, maar de man blijft uit het raam turen.

Een beetje in de war door het verhaal van de man loopt Florian terug naar zijn moeder.
Wat een rare man eigenlijk. Ach, natuurlijk bestaan er geen monsters die kleine kinderen voor zich laten werken. Maar waarom zou die man dat dan zeggen?
Florian kijkt nog een keer achterom naar de man, die nog steeds uit het raam kijkt. Florian pakt zijn boek uit zijn rugzak en gaat net als zijn moeder zitten lezen. Hij probeert zijn gedachten bij zijn boek te houden, maar hij moet steeds aan de man denken. En vooral aan wat hij heeft verteld over de vreemde dingen op het eiland.

...

4. Wat een brompot!

'We zijn er over ongeveer tien minuten,' zegt de moeder van Florian, terwijl ze de krant opvouwt en opbergt.
Florian kijkt uit het raam. Hij ziet de haven en daarachter de grote vuurtoren van het eiland. Vooral 's avonds is de vuurtoren heel leuk. Op het hele eiland zijn dan de ronddraaiende lichten te zien. Ook op de logeerkamer waar Florian altijd slaapt, kan hij het licht zien. Dat vindt Florian altijd een veilig gevoel.
De afstand naar de haven is nog te groot om te zien of Willemijn er al staat. Pas als ze nog dichterbij komen, ziet hij haar plotseling.
'Ze staat daar in die blauwe jurk, vooraan bij het hek,' wijst hij zijn moeder. 'Vlak naast die man met die hoed op.'
Florians moeder ziet haar nu ook. Samen zwaaien ze naar Willemijn, maar die ziet hen niet.
Een stem uit de luidsprekers zegt dat hij hoopt dat alle passagiers een fijne reis hebben gehad. Florian kijkt achterom naar de hoek waar de grote man zat, maar die is verdwenen. Florian stopt zijn boek terug in zijn rugzak en wil opstaan.
'Wacht nog maar even,' zegt zijn moeder. 'Het duurt nog wel een minuut of tien voordat de deuren opengaan.'

De meeste mensen staan op en lopen naar de uitgang. Florian en zijn moeder blijven zitten tot de deuren opengaan en de rij wachtende mensen in beweging komt.
Als ze de loopplank af lopen, zwaait Florian naar zijn nichtje. Willemijn zwaait met beide handen boven haar hoofd terug. Florian ziet dat ze haar fiets bij zich heeft met een karretje erachter.
Florians moeder pakt twee tassen uit een kar die op de kade staat. Ze geeft Florian zijn eigen tas en dan lopen ze naar Willemijn.
'Gooi de tassen maar in mijn fietskarretje,' zegt Willemijn als ze elkaar begroet hebben.
Florian en zijn moeder doen wat Willemijn zegt en dan wandelen ze het plein af. Het is maar een paar minuten lopen naar het huis van Willemijn.

Als Florian de weg wil oversteken, kan een man op een fiets hem nog maar net ontwijken. De man moet hard remmen, waardoor hij bijna omvalt. Zijn tas schuift van zijn bagagedrager af en valt op de grond. Florian schrikt enorm en blijft verstijfd staan. Bijna had hij een ongeluk gehad!
'Je moet goed uitkijken op dit eiland, zoals ik al zei,' klinkt een zware bromstem. Florian kijkt de fietser met open mond aan. Het is de man met wie hij daarnet op de boot heeft gesproken. Zijn pet staat een beetje scheef op zijn hoofd.
Willemijn pakt de tas van de man op en geeft hem terug. De man zet de tas op zijn stuur, kijkt Florian nog even aan en fietst dan verder.

‘Heb je die man eerder gezien?’ vraagt Florians moeder verbaasd. Florian schudt zijn hoofd en mompelt iets onverstaanbaars.
‘Wat een brompot,’ zegt zijn moeder. ‘Nou ja, je moet ook wel beter uitkijken met oversteken, Florian. Zelfs op een eiland kun je gemakkelijk een ongeluk krijgen, zoals je ziet.’
Gelukkig begint Willemijn over haar plannen voor de rest van de dag en voor de volgende dagen.
Florian kijkt de man na, die langs de haven fietst en dan een hoek om slaat. Wat zou hij op het eiland komen doen? vraagt Florian zich af. Veel tijd om erover na te denken heeft hij niet, want al gauw zijn ze bij het huis van Willemijn. Oom Enzio en tante Lieneke staan hen al bij de voordeur op te wachten. Florian krijgt van allebei een dikke zoen en dan trekt Willemijn hem mee.
‘Kom op,’ zegt ze, ‘ik heb iets heel leuks bedacht om geld te verdienen.’
Florian schiet in de lach.
‘Net zoals met die ijsjes vorig jaar zeker?’ vraagt hij met een grijns.
Ook Willemijn schiet in de lach als ze aan de gesmolten ijsjes denkt.
‘Nee, dit is een veel beter plannetje,’ zegt ze. ‘We gaan banden oppompen van mensen die bij De Bruinvis hun fiets neerzetten. Daar kunnen we best wat geld voor vragen.’
Florian is weleens vaker bij De Bruinvis geweest. Het is een gezellig restaurant dat uitkijkt over de haven en de zee. Er is een groot terras bij, met glazen

wanden eromheen tegen de wind. Het staat er altijd vol met fietsen van mensen die er wat gaan eten of drinken.
'En hoeveel geld wil je dan vragen?' vraagt Florian.
Willemijn denkt even na. 'Nou, ik denk tien cent per band en twintig cent als de band heel erg zacht is.'
Ze holt naar het schuurtje in de achtertuin en komt terug met een fietspomp.
Samen rennen ze naar De Bruinvis.

5. Geen klanten

'Het lukt nog niet zo heel erg goed,' zegt Florian. Hij draait met zijn voet, zodat de punt van zijn schoen rondjes in het zand tekent.
Ze staan al een poos bij het terras van De Bruinvis. Tegen lange houten hekken staan heel veel fietsen. Er komen steeds mensen die hun fiets er neerzetten, maar niemand heeft een fiets met een zachte band. Het terras zit vol mensen die lekker van het zonnetje genieten en twee obers lopen met volle dienbladen heen en weer.
'Zullen we maar iets anders gaan doen?' vraagt Florian.
'Nee, we moeten gewoon geduld hebben,' zegt Willemijn. 'Er komt vanzelf iemand met een zachte band. Hé wacht, misschien die man die daar aan komt fietsen.'
Ze wijst naar een man in een korte broek die de hoek om komt. Hij stopt bij De Bruinvis en zet zijn fiets tegen een hek.
Willemijn holt naar hem toe en Florian volgt haar.
'Meneer, zal ik uw achterband oppompen?' vraagt Willemijn. 'Hij is namelijk een beetje zacht en dat fietst heel naar.'
De man kijkt verbaasd naar de twee kinderen en dan naar zijn achterband.
'Nou, dat valt toch wel mee?' zegt hij. 'Ik heb er de

hele dag op gefietst en ik heb er echt geen last van.'
'Uw voorband ook niet?' houdt Willemijn vol. 'Die ziet er ook wel zacht uit. Het kost maar tien cent en dan pompen we de band keihard op.'
De man schudt lachend zijn hoofd en doet zijn fiets op slot.
'Jullie kunnen beter iets anders bedenken om geld mee te verdienen,' zegt hij. 'De meeste mensen hebben zelf een fietspomp aan hun fiets zitten. Die gaan vast niet betalen voor iets wat ze heel gemakkelijk zelf kunnen doen.'
Hij stopt zijn fietssleuteltje in zijn zak, steekt zijn hand naar hen op en loopt het terras op.
Florian bekijkt een paar fietsen die bij hen in de buurt staan.
'Hij heeft gelijk,' zegt hij. 'Aan elke fiets zit een fietspomp. En ik vind het eigenlijk ook niet zo leuk meer om hier alleen maar te staan.'
Willemijn zet de fietspomp op de grond en ze kijkt eens rond naar alle fietsen die tegen de hekken staan.
'Ik heb een veel beter idee,' zegt ze. 'We kunnen het beste een paar banden leeg laten lopen. Misschien dat de mensen ons dan wel tien cent willen betalen. Als jij aan die kant begint, dan begin ik daar vooraan.'
Florian schrikt er een beetje van.
'Nee hoor, dat durf ik niet,' zegt hij. 'Alle mensen op het terras kunnen ons zien.'
'Het was maar een grapje,' zegt Willemijn en ze pakt de fietspomp weer. 'Ik weet nog wel iets anders

wat heel leuk is.'
Ze wijst naar het terras, waar een ober juist een blad met glazen neerzet bij een groepje mensen. De ober heeft een zwart T-shirt aan waarop met witte letters *De Bruinvis* staat.
'Die ober heet Sietse en hij is heel aardig,' zegt Willemijn. 'Hij woont achter ons en soms mag ik hem een beetje helpen als het heel druk is. En het is nu heel druk. Kom op, we gaan het vragen. Sietse heeft vast wel iets voor ons te doen.'
Ze zet de fietspomp tegen een hek en loopt naar Sietse toe, die net een klant zijn wisselgeld geeft.
'Ha, daar is mijn buurmeisje Willemijn,' zegt Sietse vrolijk en hij geeft Florian een knipoog. 'Wie heb je nou weer bij je?'
'Ik ben Florian,' zegt Florian, 'en ik ben het neefje van Willemijn.'
Sietse knikt hem vriendelijk toe. 'Ik moet nu verder, want ik heb het echt heel druk.'
'Heb je nog een leuk klusje voor Florian en mij?' vraagt Willemijn vlug.
Sietse denkt even na. 'Ja, jullie mogen wel een bak water neerzetten bij mensen met een hond. Achter de bar staan twee plastic drinkbakken, dat weet je wel. Maar je moet eerst vragen of de mensen het wel willen, hoor.'
'Ja, dat is leuk!' roept Willemijn en ze stoot Florian aan. 'Dat heb ik weleens vaker gedaan en soms krijg je dan gratis wat te drinken van iemand. En soms mag je de hond van iemand uitlaten op het strand.'
Sietse wordt geroepen door een mevrouw en loopt

er haastig heen.
'Kom,' zegt Willemijn tegen Florian, 'dan kijken we eerst waar alle mensen met een hond zitten.'

6. Dat is gemeen!

Ze lopen twee keer heen en weer op het terras, maar ze zien niemand die een hond heeft.
'Wat gek,' moppert Willemijn, 'anders zijn er altijd wel een paar honden.'
'Op de boot waren ook veel mensen met een hond,' zegt Florian. 'Er was een mevrouw die twee honden bij zich had. Misschien komt zij straks wel hierheen, dan kunnen we allebei een bak water halen. En dan krijgen we allebei gratis wat te drinken. Ik heb eigenlijk best dorst gekregen.'
Willemijn kijkt nog eens speurend het grote terras rond, maar er zitten alleen maar mensen.
'Laten we even binnen kijken,' zegt ze en ze doet de deur open.
Binnen is het lang niet zo druk als op het terras. Er zitten een paar mensen aan de bar en bij een tafeltje zit een vrouw met een baby op haar arm, maar een hond zien ze nergens.
'Naar buiten aan de voorkant dan,' zegt Willemijn met een boos gezicht. 'Daar is nog een klein terras, waar ook altijd veel mensen zitten.'
Florian knikt, want dat had hij zelf ook al gezien.
Als ze het kleine terras bekijken, klaart het gezicht van Willemijn weer op.
'Daar aan het eind zit een man met een hond,' zegt ze.

11
10

Ze lopen naar de man toe, die net een slok van zijn koffie neemt. Onder zijn stoel ligt een grote hond met zijn kop op zijn voorpoten en met zijn ogen dicht.
'Dag meneer,' zegt Willemijn beleefd, 'zal ik een bak water voor uw hond halen?'
De man kijkt hen verbaasd aan.
'Nee hoor, dat hoeft niet,' zegt hij een beetje nors.
'Maar uw hond heeft het heel warm,' houdt Willemijn vol. 'En als hij niks drinkt, dan wordt hij misschien wel ziek.'
De man kijkt eens naar zijn slapende hond en zucht.
'Nou, haal dan maar een bak water, als je dat zo graag wilt.'
Willemijn en Florian hollen naar binnen en Willemijn pakt een blauwe plastic bak. Achter de bar vult ze de bak met water. Samen met Florian draagt ze de bak voorzichtig naar buiten. Ze zetten hem vlak voor de hond neer, die zijn ogen opendoet en van het water begint te slobberen.
'Hij had heel erge dorst,' zegt Willemijn en ze geeft Florian een klein duwtje. 'En wij hebben ook wel een beetje dorst van al dat werk, hè Florian?'
Ze knijpt Florian zachtjes in zijn arm.
'Eh ... ja, wij hebben ook erge dorst,' zegt Florian vlug. 'Wij hebben dorst gekregen van het eh ... van het harde werken.'
De man kijkt hen met gefronste wenkbrauwen aan.
'Nou, dan moeten jullie ook maar iets bestellen,' zegt hij.

'Dank u wel,' roept Willemijn en ze rent met Florian naar de bar. Een ober die ze niet kent, zet net een blad met lege glazen neer.
'Mag ik een cola?' vraagt Willemijn, 'en voor Florian ...'
Ze kijkt haar neefje vragend aan.
'Voor mij ook een cola,' zegt Florian.
'Twee cola,' zegt Willemijn, 'en we krijgen het van die meneer daar buiten in de hoek.'
De ober volgt de wijsvinger van Willemijn.
'Welke meneer bedoel je?' vraagt hij. 'Buiten in de hoek zit niemand.'
Willemijn holt naar het raam en kijkt met grote ogen naar de lege stoel in de hoek. In de verte ziet ze de man met de grote hond op het strand lopen.
'Dat is nog eens gemeen,' zegt ze woedend tegen Florian die naast haar is komen staan. 'Hij is gewoon weggegaan!'
Ze kijken de man en de hond na die nu kleine stipjes zijn.
'Al mijn mooie plannetjes mislukken,' zegt Willemijn somber. 'Nou ja, zullen we dan maar schelpen gaan zoeken op het strand? Misschien vinden we wel zo'n mooie gedraaide met een punt of een paar haaientanden. Of we komen die man met die hond tegen en dan spat ik hem flink nat, die gemenerik.'
Florian lacht en knikt. Hij is blij dat ze wat anders gaan doen.
'Ik heb nog wel dorst,' zegt hij.
'Wacht maar even,' zegt Willemijn en ze holt naar de bar. Al gauw is ze terug met twee glazen water.

Gulzig drinken ze allebei hun glas leeg en dan gaan ze naar buiten.
'Ik laat de fietspomp bij het hek staan,' zegt Willemijn. 'Dan halen we die straks wel op als we naar huis gaan.'
'Zou niemand hem meenemen?' vraagt Florian bezorgd.
'Vast niet,' antwoordt Willemijn. 'Kom op, dan gaan we schelpen zoeken op het strand.'

7. Saai

Ze steken een fietspad en een stukje gras over en wandelen het strand op. Het is er behoorlijk druk. Veel mensen zijn een stukje aan het wandelen of ze laten hun hond uit. Heel in de verte zien ze twee vliegers in de lucht heen en weer zwieren.
'Misschien kunnen we nog een keer een museum maken,' zegt Willemijn, 'maar dan alleen van alle mooie schelpen die we vinden. En we kunnen ook de allermooiste schelpen verkopen aan de toeristen op het eiland.'
Florian loopt met zijn neus naar beneden.
'Of we maken een tekening van schelpen op een stuk karton,' zegt hij. 'Dat hebben we op school ook een keer gedaan met kralen. Het is heel mooi als je die schelpen op gekleurd karton plakt.'
'Ja, dat is een goed idee!' roept Willemijn. 'We kunnen ook eerst de schelpen opplakken en ze dan met een stift gaan kleuren.' Ze raapt een piepklein wit schelpje op en legt het op haar hand.

Ze zoeken wel een half uur, maar ze vinden bijna geen schelpen. Florian heeft twee kleine bruine schelpjes in zijn broekzak en Willemijn heeft nog steeds alleen het witte schelpje. Ze zijn al drie keer het stuk strand voor De Bruinvis heen en weer gelopen.

'Wat hebben we nu?' vraagt Willemijn.
Florian haalt de twee bruine schelpjes uit zijn zak.
'Wel een beetje weinig voor een tekening,' zegt Florian aarzelend. 'Er eh ... er liggen hier niet zo veel mooie schelpen.'
Willemijn gooit haar schelpje omhoog en geeft er een flinke schop tegen. Florian bekijkt zijn schelpjes nog eens goed en gooit ze dan met een grote boog weg.
'Aan de andere kant van het eiland liggen er veel meer,' moppert Willemijn. 'Daar heb je binnen vijf minuten wel een zak vol schelpen. Maar dat is meer dan een uur fietsen en ik mag er ook niet alleen heen van mijn vader.'
Ze laat zich in het zand ploffen en Florian gaat naast haar zitten. Hij wil het eigenlijk niet zeggen, maar hij vindt het een beetje saai tot nu toe. Het plan met de fietspomp is mislukt, het klusje bij De Bruinvis is mislukt en ze hebben ook bijna geen schelpen gevonden.
Het is alsof Willemijn zijn gedachten kan raden.
'Wil je echt iets heel spannends doen?' zegt ze en ze kijkt hem strak aan.
Als Florian knikt, staat Willemijn op en wijst ze naar de haven.
'Daar is iets heel spannends te beleven,' zegt ze, 'maar het is een groot geheim. Je mag het echt aan niemand vertellen, dat moet je beloven.'
Florian staart naar het haventje met de boten.
'Goed, ik zal het aan niemand vertellen,' zegt hij na een poosje, 'maar wat is daar dan voor spannends te

beleven?'
'We brengen de fietspomp naar huis en na het eten zal ik het je laten zien,' zegt Willemijn. 'Het is echt het spannendste wat je ooit hebt beleefd. Maar je mag er echt niks over zeggen tegen mijn ouders of tegen je moeder.'
Florian belooft nog een keer dat hij zijn mond erover dicht zal houden. Dan halen ze bij De Bruinvis de fietspomp op en hollen naar het huis van Willemijn.
Florian kan nog maar aan één ding denken: vanmiddag gaat hij echt iets heel spannends beleven! Het rare gevoel in zijn maag van gisteren is weer helemaal terug.

8. Het geheim

De woonkamer bij Willemijn staat vol lege dozen. Florians moeder en oom Enzio hebben de computer inmiddels uitgepakt en overal liggen plastic zakjes met kabels.
Oom Enzio schuift de dozen aan de kant.
'Ziezo, het begin is er,' zegt hij, 'maar we gaan nu eerst eten. Vanmiddag sluiten we alles aan en dan kan ik er morgen mee aan het werk.'
Het is net alsof oom Enzio er veel verstand van heeft, maar Florian weet wel beter. Oom Enzio is altijd blij als Florians moeder hem komt helpen.
Willemijn en Florian helpen met het dekken van de tafel.

'Weten jullie al wat jullie vanmiddag gaan doen?' vraagt tante Lieneke tijdens het eten. Ze kijkt Willemijn en Florian om beurten aan.
Willemijn geeft Florian onder tafel een schopje tegen zijn scheenbeen.
'We gaan even bij de haven kijken of zo,' zegt Willemijn.
'Ja, of we gaan schelpen zoeken op het strand,' zegt Florian.
'Je mag niet te ver weg, dat weet je,' zegt oom Enzio waarschuwend tegen Willemijn. 'Ik wil dat je een beetje in de buurt blijft.'

'Nee pap,' zegt Willemijn gehoorzaam, 'we gaan echt niet ver weg.'
Als ze gegeten hebben, lopen Willemijn en Florian in de richting van de haven. Florian is er vaak geweest en hij houdt van de gezellige drukte. Het ruikt er altijd een beetje naar vis en dat is ook wel logisch. Veel schepen zijn 's nachts op zee om te vissen. 's Morgens vroeg komen ze dan terug in de haven. Florian heeft vorig jaar nog gezien hoe er bakken vol garnalen van een schip naar de wal getakeld werden.
Ook nu is het druk bij de haven. Er zijn veel toeristen die foto's maken en de bankjes langs de haven zijn allemaal bezet.
'Wat is je geheim nou?' vraagt Florian ongeduldig.
Willemijn geeft geen antwoord, maar ze loopt een houten pier op. Tussen de planken door ziet Florian het water en vlug kijkt hij voor zich. Hij vindt het een beetje griezelig om zo te lopen, want het is net alsof je zo in het water kunt vallen.

Links en rechts aan de pier liggen allerlei boten.
Ze komen langs een grote boot waarop jongens en meisjes aan het werk zijn. Als een meisje naar hen zwaait, zwaaien ze allebei terug.
Helemaal aan het eind van de pier blijft Willemijn staan en ze kijkt een paar keer om zich heen. Dan wijst ze naar een blauwe boot die tegen de pier ligt.
'Hier is het,' zegt ze zacht.
Florian bekijkt de boot van alle kanten, maar er is niks bijzonders aan te zien. Het lijkt een gewone

boot die op en neer deint op de golven. Op het voorste deel ziet Florian een stuurhut met een groot houten stuurwiel en in het midden van de boot gaat een trapje naar beneden.
'Maar wat is dan het geheim?' zegt hij.
Willemijn kijkt nog één keer om zich heen en dan ... dan springt ze opeens aan boord van de boot.

9. Nog meer bezoek

Willemijn wenkt Florian die nog even aarzelt, maar dan ook aan boord springt. Met een angstig gezicht kijkt hij de pier af, maar er is niemand die hen heeft gezien. Hij hoort alleen het lachen van de jongens en meisjes op de grote boot waar ze net langskwamen.
'Wat doe je nou?' sist hij bang. 'Straks komen er mensen en dan ... nou, dan zeggen ze dat we aan het inbreken zijn.'
Willemijn schudt haar hoofd.
'Er komt nooit iemand op deze boot,' zegt ze. 'Ik ben er deze week al drie keer op geweest en er komt echt nooit iemand.' Ze kijkt Florian met glinsterende ogen aan. 'En weet je wat het mooiste van deze boot is?'
Ze wacht niet op antwoord, maar ze trekt Florian mee in de richting van de stuurhut. Als ze voor de deur van de stuurhut staan, ziet Florian plotseling wat ze bedoelt. De deur van de stuurhut staat op een kiertje! Iemand is vergeten om de stuurhut af te sluiten.
Willemijn doet de deur verder open en glipt naar binnen. Florian volgt haar met bonzend hart en trekt de deur achter zich dicht.
In de stuurhut is het heel warm en Florian veegt een paar zweetdruppels van zijn wang.
'Maar als er dan toch iemand komt?' vraagt hij met

een piepstem.
Willemijn geeft geen antwoord, maar ze gaat op een houten krukje voor het stuurwiel staan. Ze pakt het wiel vast en draait het van links naar rechts en weer terug. Dan houdt ze haar rechterhand boven haar ogen en tuurt in de verte.
'Land in zicht!' zegt ze en ze wijst recht naar voren.
Florian moet lachen, of hij dat nou wil of niet. Recht voor hen is alleen het water van de zee te zien en verder niets.
'Wil jij even sturen?' vraagt Willemijn en ze stapt van het krukje af. Florian stapt erop en pakt het stuurwiel stevig met beide handen vast. Voor zich ziet hij nu heel in de verte een zeilboot. Hij vergeet zijn angst en draait het stuurwiel heen en weer. Willemijn had gelijk: dit is echt heel spannend! Het is net alsof hij de kapitein van de boot is.
'Zeilboot in zicht!' roept hij naar Willemijn, die er hard om moet lachen.
Florian draait aan het stuurwiel tot Willemijn aan zijn mouw trekt.
'Kom mee,' zegt ze, 'er is nog meer te beleven op deze boot.'
Ze holt de stuurhut uit, naar het midden van de boot.
'We gaan daar ook nog even kijken,' zegt Willemijn en ze wijst naar het trapje dat Florian al vanaf de pier had gezien.
Onder aan het trapje is een houten deur die ook op een kier staat. Willemijn loopt het trapje af en doet de deur open. Ze wenkt Florian, die ook het trapje

af loopt.
'Waarom zijn alle deuren van de boot eigenlijk open?' vraagt hij ongerust.
Willemijn haalt haar schouders op en stapt over de drempel. Achter de deur is een klein kamertje met een houten bank en een tafel die aan de bodem vastzit. Links ziet Florian een soort keukentje met een aanrecht en rechts staat een bed. Het is er rommelig en het ruikt er een beetje muf.
'Deze kamer is de kombuis,' zegt Willemijn en ze loopt naar een kast die achter in het kamertje staat.
'Weet je wat hierin zit?' vraagt ze.
Florian wil antwoord geven, maar de deur valt achter hem dicht en plotseling is het pikdonker in de kombuis. Florian geeft een schreeuw van schrik.
'Je moet die deur wel openhouden,' zegt Willemijn, 'anders zien we niks.'
Florian zoekt met zijn handen naar de deurklink, maar dan klinkt er boven hen een luide bons. Verstijfd van schrik blijft Florian staan.
'Wat ... wat was dat?' fluistert hij.
Hij voelt dat Willemijn naast hem is komen staan.
'Het is net ... het is net of er nog iemand aan boord springt,' zegt ze zacht. 'Maar dat kan bijna niet, want er komt hier nooit iemand.'
Florian voelt hoe zijn keel droog is van angst. Was hij maar nooit met Willemijn meegegaan op deze boot!
'Ik wil weg,' sist hij. 'Ik ben bang.'
Hij doet een stap in de richting van de deur en Willemijn volgt hem. Op hetzelfde moment horen ze

voetstappen boven hun hoofd. Willemijn en Florian drukken zich stevig tegen elkaar aan. Eén ding is zeker: er is nog iemand op de boot. Iemand die met grote stappen in de richting van de stuurhut loopt! Ze horen de deur van de stuurhut dichtslaan en dan is het weer stil boven hun hoofd.
Florian en Willemijn wachten nog een paar minuten en pas dan durven ze zich weer te bewegen.

10. Ontsnappen?

'Wie is dat?' vraagt Florian met zijn mond heel dicht bij het oor van Willemijn.
'Ik weet het niet,' antwoordt Willemijn heel zacht. Hun ogen zijn inmiddels een beetje gewend aan het donker. Tussen twee planken in de deur valt een lichtstraaltje naar binnen.
'Misschien zijn het andere kinderen die ook stiekem op de boot komen kijken,' zegt Florian met een bibberstemmetje.
'Nee, dat kan niet,' zegt Willemijn, 'want niemand kent verder mijn geheim. Dat weet ik echt heel zeker, omdat ...'
Ze zwijgt plotseling als ze weer de voetstappen boven zich horen. Deze keer komen ze in de richting van de kombuis!
Willemijn trekt Florian met zich mee in de richting van het bed en duwt hem naar de grond. Florian snapt meteen wat de bedoeling is en hij kruipt zo ver mogelijk onder het bed. Ook Willemijn schuift razendsnel onder het bed.

Het is nu stil boven hun hoofd, maar dat duurt niet lang. Het volgende moment klinken de voetstappen weer en ze horen duidelijk dat er iemand het trapje af stommelt. Florian en Willemijn durven bijna geen adem te halen, zo bang zijn ze. De deur gaat

open en er komt iemand binnen. Er gaat een licht aan en Florian en Willemijn zien twee benen met grote hoge schoenen die langs het bed lopen. Ze horen de stem van een man die mompelt: 'Waar kan ik ze nou gelaten hebben?' De man rommelt wat in het keukentje en er klinkt geschuif van een la die open en dicht gaat.
'Aha, hebbes,' mompelt de man en de kinderen horen wat rammelen.
Florian voelt opeens dat hij moet niezen. Heel langzaam gaat hij met zijn hand naar zijn neus en knijpt die hard dicht. Het gekriebel in zijn neus wordt steeds erger en Florian voelt dat er zweetdruppels langs zijn wangen lopen.
Ze horen dat de man naar de deur loopt en dan het licht uitdoet. De deur van de kombuis gaat open en dicht en Florian en Willemijn horen een sleutel in het slot knarsen. Florian houdt het niet meer vol en hij niest met zijn hand zo strak mogelijk tegen zijn mond en met zijn neus dichtgeknepen. Het klinkt gelukkig niet zo hard dat de man het heeft gehoord, want hij loopt gewoon verder.
Ze wachten tot ze de voetstappen niet meer horen en kruipen dan onder het bed vandaan. Het is nu doodstil boven hun hoofd.
'Zou hij weg zijn?' fluistert Florian.
Willemijn haalt haar schouders op. 'Hij heeft de deur van de kombuis op slot gedaan,' zegt ze.
Florian knikt met een somber gezicht.
'We zitten hier gevangen,' zegt hij en hij moet bijna huilen.

Willemijn legt troostend een arm op zijn schouder.
'We proberen wel te ontsnappen,' zegt ze.
Florian veegt woest een traan uit zijn ooghoek.
'We zitten hier opgesloten,' zegt hij met een snik,
'en we komen er vast nooit meer uit.'
Willemijn wil wat terugzeggen, maar er klinkt opeens een zwaar brommend geluid. Met grote ogen staren de twee kinderen elkaar aan. Ze weten allebei wat voor geluid het is: de motoren van de boot zijn gestart!

11. Op zee

Het gebrom van de motoren klinkt nog wat harder en dan ... dan komt de boot in beweging. Ze voelen hoe hij eerst wat heen en weer schommelt en dan langzaam vooruit vaart.
'We varen weg!' zegt Florian angstig. 'De boot vaart weg!'
Willemijn holt naar de deur. Ze rukt aan de deurknop en begint te roepen: 'Help, wij zitten hier!' Ze roept zo hard als ze kan, maar ze komt niet boven het geluid van de motoren uit.
Ook Florian holt naar de deur en schreeuwt zo hard als hij kan. Het helpt allemaal niks: de boot vaart weg!
Willemijn zoekt het lichtknopje en doet het licht aan. Florian ziet dat haar gezicht wit is en dat haar onderlip trilt.
'Hij kan ons natuurlijk niet horen door al dat lawaai,' zegt ze.
Ze ploffen naast elkaar op het bed.
'Misschien varen we wel helemaal naar een ander land,' zegt Florian met een triest gezicht. 'Naar Engeland of zo, of naar Spanje.'
'Ik denk het niet,' zegt Willemijn, 'want het is niet zo'n grote boot. Misschien gaat hij alleen maar even vissen en dan weer terug naar de haven.'
Florian hoort aan haar stem dat ze dat zelf ook niet

gelooft.
'Wat moeten we nu doen?' vraagt hij en zijn stem trilt.
Willemijn staat op en zoekt in de kastjes en de laden van het keukentje.
'Misschien is er hier een telefoon,' zegt ze. 'Dan kunnen we naar huis bellen en papa en mama waarschuwen.'

Florian helpt met zoeken, maar ze vinden geen telefoon. Willemijn probeert nog een keer de deur open te krijgen, maar die zit muurvast. Ze kijkt door de smalle spleet naar buiten, waar ze alleen een stukje van de trap ziet. Ze geeft een schop tegen de deur en loopt terug naar het bed.
'Ik denk dat die man de baas van de boot is,' zegt ze, terwijl ze weer op het bed ploft. 'We hebben gewoon pech dat hij net naar zijn boot ging toen wij erop waren.'
Florian veegt langs zijn ogen. 'Maar jij bent hier al wel drie keer geweest en jij zei dat er nooit iemand op de boot kwam.'
'Nee, dat was ook zo,' zegt Willemijn, 'maar nu is er dus wel iemand.'
Florian perst zijn lippen op elkaar. 'Waarom heeft hij de deur van de stuurhut en deze deur niet op slot gedaan?'
Willemijn haalt met een zucht haar schouders op. 'Misschien was hij het vergeten of hij was zijn sleutels kwijt. Ik hoorde wel wat rammelen toen hij hier in de kombuis was.'

'Ja, ik ook,' zegt Florian, 'misschien waren dat de sleutels die hij kwijt was.'
Ze zwijgen een poosje en luisteren naar het gebrom van de motoren.
Florian denkt aan zijn moeder, die waarschijnlijk met de computer van oom Enzio bezig is. Wat zal ze schrikken als ze merkt dat hij weg is. Zou ze de politie gaan waarschuwen en zou de politie hen dan ook kunnen vinden? Maar niemand gaat toch op een boot zoeken die van het eiland is weggevaren? Florian probeert zijn tranen tegen te houden.

Ze zitten een poos zwijgend naast elkaar op het smalle bed. Langzaam raken ze gewend aan het zware gebrom van de motoren.
'Ik heb dorst,' zegt Florian en hij veegt een paar zweetdruppels van zijn wang. 'Het is hier ook wel heel warm.'
Willemijn staat op en loopt naar de kast achter in de kombuis. Ze trekt een deurtje open en haalt een halfvol flesje water uit de kast. Ze draait de dop eraf en om beurten nemen ze een paar slokken.
'Bah, wat smaakt dat vies,' zegt Florian.
Willemijn knikt. 'Ja, maar het helpt wel een beetje tegen de dorst.'
Als ze het flesje op de tafel zet, klinkt het geluid van de motoren opeens een stuk zachter. Ze voelen dat de boot minder hard vaart en dan is het opeens doodstil.
Willemijn holt meteen naar de deur en schreeuwt: 'Help, we zitten hier opgesloten!'

...

Even gebeurt er niets, maar dan horen ze de zware voetstappen weer op het trapje.
Willemijn gaat naast Florian zitten en samen wachten ze op wat er gaat komen.

12. Een oude bekende

De voetstappen stoppen onder aan het trapje en er klinkt een zware bromstem: 'Is hier iemand?'
De mond van Florian valt open van verbazing. Kent hij die stem niet? Hij weet bijna zeker dat hij die zware bromstem eerder heeft gehoord, nog niet eens zo lang geleden. En dan opeens weet hij wie er aan de andere kant van de deur staat.
'Ja, wij zitten hier,' antwoordt Willemijn en ze gaat nog wat dichter bij Florian zitten.
Willemijn en Florian horen hoe er een sleutel in het slot wordt gestoken. De deur gaat open en er stapt een man de kombuis binnen. Een grote man met een grijze stoppelbaard, rode appelwangen en met een pet op. De man staart stomverbaasd naar de twee angstige kinderen op het bed.
'Wat zullen we nou beleven?' zegt hij met grote ogen. 'Wat doen jullie op mijn boot?'
Hij gaat vlak voor Florian en Willemijn staan en kijkt hen om beurten aan.
'Aha,' zegt hij, als hij Florian nog eens goed bekijkt. 'Daar hebben we een oude bekende. Wij hebben elkaar pas nog gesproken, nietwaar?'
Florian knikt met gebogen hoofd. Voor hem staat de grote man die hij op de heenreis op de boot heeft ontmoet. Hij had zijn stem al een beetje herkend, maar nu weet hij het zeker. Het is de man

die hem waarschuwde dat er vreemde dingen op het eiland gebeuren. De man die het over monsters had die kleine kinderen gevangen houden en die hem bijna omverreed met zijn fiets.
De man wijst naar het waterflesje op tafel.
'En ik zie dat jullie ook al een beetje rondgekeken hebben op mijn boot,' zegt hij.
'Ik ... ik ... we hadden zo'n dorst,' stottert Willemijn, 'en toen heb ik een flesje water uit de kast gepakt.'
De man trekt een stoel onder de tafel vandaan en gaat erop zitten. 'Vertel me eerst maar eens hoe jullie op mijn boot gekomen zijn.'
Willemijn en Florian kijken elkaar even aan.
'Ik ... ik was al een paar keer op uw boot geweest,' zegt ze zacht. 'Want de deur van de stuurhut was open en ik dacht ... ik dacht ...'
'Je dacht: laat ik maar eens een potje gaan inbreken,' zegt de grote man.
'Nee, niet inbreken,' zegt Florian vlug, 'we gingen alleen even in de stuurhut kijken en we deden net of we een eind gingen varen.'
De man knikt langzaam. 'Ja, en toen opeens gingen jullie echt een eind varen.'
Florian en Willemijn knikken allebei heftig.
'We hebben nog wel geroepen,' zegt Willemijn, 'maar u hoorde ons niet door het lawaai van de motor.'

De man loopt naar een kastje en haalt er twee plastic bekers uit. Uit een ander kastje pakt hij een fles

met frisdrank. Hij schenkt de bekertjes vol en geeft Florian en Willemijn ieder een beker.
'Het is niet zo gek dat jullie dorst hebben,' zegt hij en zijn stem klinkt wat vriendelijker. 'Het wordt hier beneden altijd heel warm als de motoren draaien.'
Willemijn en Florian nemen allebei een paar slokken.
'Weten jullie eigenlijk wel waar we zijn?' vraagt de man.
De twee kinderen schudden allebei hun hoofd.
'We liggen vlak bij China voor de kust,' zegt de grote man.
Florian en Willemijn kijken elkaar stomverbaasd aan. In China? Zijn ze echt helemaal naar China gevaren?

13. Machiel

'We zijn bijna in China,' zegt de man. 'Dat had je zeker niet gedacht?'
Willemijn en Florian kijken hem aan en ze zien dat hij pretlichtjes in zijn ogen heeft.
'Dat kan niet,' zegt Willemijn, 'want China is helemaal aan de andere kant van de wereld.'
De man staat zuchtend op.
'Kinderen geloven tegenwoordig ook niks meer,' zegt hij.
Hij geeft Willemijn en Florian een hand. 'Ik heet Machiel,' zegt hij, 'en ik ben de kapitein van deze oude vissersboot. Vertel me eerst maar eens even hoe jullie heten, voordat ik jullie in China aan wal zet.'
Willemijn en Florian durven alweer een beetje te lachen. Ze noemen hun naam en Machiel haalt een mobieltje uit zijn zak.
'Dan zal ik eerst maar eens even jullie ouders waarschuwen,' zegt hij, 'voordat ik straks de politie achter me aan krijg. Wie van jullie kan me een telefoonnummer geven?'
Willemijn steekt haar vinger op alsof ze in de klas zit. Ze noemt het nummer en Machiel toetst het in op zijn mobieltje.
'Wat is je achternaam?' vraagt hij aan Willemijn, terwijl hij het mobieltje tegen zijn oor houdt.

...

'Schipper,' zegt Willemijn.
'Dat is een mooie naam voor iemand die op een eiland woont,' zegt Machiel. 'En ook een mooie naam voor iemand die op eigen houtje een stukje gaat varen. Ik denk dat jouw opa vroeger vast een schipper is geweest, want ...'
Hij stopt plotseling en Willemijn en Florian begrijpen dat iemand de telefoon heeft opgenomen.
'Dag meneer Schipper, u spreekt met Machiel Bramer,' zegt Machiel. 'Ik zit hier op zee op mijn boot en ik heb twee gasten aan boord die u misschien wel kent.'
Hij luistert even en zegt dan: 'Uw dochter Willemijn en Florian.'
Machiel luistert weer en geeft het mobieltje dan aan Willemijn. 'Je vader wil je spreken,' zegt hij.
'Ja pap, met mij,' zegt Willemijn zacht. 'Wij eh ... we zijn op de boot van Machiel, maar we komen meteen weer terug.'
Ze geeft het mobieltje weer terug aan Machiel die ermee naar buiten loopt. Ze horen hem nog een tijdje praten, maar ze horen niet wat hij zegt.
'Gelukkig gaan we weer terug,' zegt Florian. 'Ik dacht eerst dat we echt bij China waren. Machiel zegt wel steeds gekke dingen.'
Hij vertelt Willemijn van zijn ontmoeting met Machiel op de heenreis.
'Toen had hij het over monsters op het eiland die in de duinen in een hol wonen en kleine kinderen vangen,' zegt hij.
Als Machiel weer terugkomt, stopt hij het mobieltje

in zijn zak.
'We gaan nu meteen naar de haven van China,' zegt hij, 'en ik denk dat we daar opgewacht worden door een monster dat kleine kinderen vangt.'
Willemijn en Florian proesten het uit.
'Wat is er te lachen?' vraagt Machiel streng, maar ze zien wel dat hij het niet meent.
'Niks,' zeggen Willemijn en Florian tegelijk.
'Kom maar mee naar boven,' zegt Machiel, 'dan zal ik jullie eens even aan het werk zetten.'

14. Aan het werk

Willemijn en Florian lopen achter Machiel aan het trapje op.
'Wat zouden we voor werk moeten doen?' fluistert Florian een beetje angstig.
Willemijn haalt haar schouders op. 'Misschien moeten we voor straf het hele dek schoonvegen of zo,' zegt ze. 'Of eh ... we moeten alle ramen van de stuurhut poetsen.'
Als ze op het dek zijn, kijken ze om zich heen. Heel in de verte zien ze de vuurtoren van het eiland overal bovenuit steken. Tjonge, ze zijn wel een heel eind van het eiland weggevaren!
Machiel staat al bij de deur van de stuurhut en wenkt hen. Hij laat hen naar binnen gaan en doet dan de deur achter hen dicht.
'Ziezo,' zegt hij, terwijl hij op het krukje wijst. 'Wie wil het eerst een stukje naar China sturen?'
Willemijn en Florian kijken hem met open mond aan.
'Maar ... maar gaat de boot dan ook echt varen?' vraagt Willemijn.
Machiel draait gek met zijn ogen en zucht een paar keer heel diep.
'Ja, hoe moeten we anders in China komen?' zegt hij. 'Nou, wie wil het eerst of moet ik het zelf doen?'

Willemijn stapt op het krukje en pakt het stuurwiel stevig vast.
'Hm, het is net of je dat al vaker hebt gedaan,' zegt Machiel met een grijns.
Willemijn wordt een beetje rood en ze kijkt verlegen naar het grote stuurwiel. Dan draait Machiel naast het stuurwiel een sleutel om en ze horen opnieuw de motoren starten. Het klinkt gelukkig niet zo hard als toen ze beneden in de kombuis opgesloten zaten.
'Duw deze hendel maar langzaam naar voren,' zegt Machiel tegen Florian.
Florian doet wat Machiel zegt en langzaam zet de boot zich in beweging.
'Hij vaart!' roept Willemijn en ze springt op en neer op het krukje. Machiel komt naast haar staan.
'Draai de boot eerst maar helemaal tot je de vuurtoren recht voor je ziet,' zegt hij.
Willemijn draait het stuurwiel helemaal naar rechts en de boot draait langzaam.
'Ik zie hem!' roept ze even later. 'Ik zie de vuurtoren!'
'Draai nu het stuurwiel weer wat terug,' zegt Machiel en hij wijst met gestrekte arm recht vooruit. 'Zorg dat de punt van de boot steeds naar de vuurtoren wijst. Dan zijn we over ongeveer een uur in China.'
'Moeten we niet door de vaargeul?' vraagt Florian verbaasd.
Machiel schudt zijn hoofd.
'Nee, dat moeten alleen de grote schepen met pas-

sagiers,' zegt hij. 'Wij kunnen gewoon recht naar het eiland varen. Als onze stuurman tenminste het roer een beetje recht houdt.'
Willemijn kijkt naar de vuurtoren en draait een beetje aan het stuurwiel.
'Dat gaat prima, zie ik wel,' zegt Machiel tevreden. 'Nou, dan ga ik beneden in de kombuis even een dutje doen. Roep me maar als de boot in de haven van China ligt.'
Willemijn kijkt hem geschrokken aan.
'Maar ... maar dat kan ik niet alleen,' zegt ze.
'Nee, maar jullie zijn toch met z'n tweeën?' zegt Machiel. 'En jullie wilden toch zo graag samen op een boot varen? Nou, dit is jullie kans om samen met de boot naar de haven te varen. Welterusten.'
Hij loopt naar buiten en doet de deur achter zich dicht.
'Wil jij een stukje sturen?' vraagt Willemijn aan Florian, maar die schudt zijn hoofd. Hij ziet dat Machiel naar de achterkant van de boot loopt.
'Zou hij echt gaan slapen?' vraagt hij.
Willemijn geeft geen antwoord, maar ze kijkt nog steeds strak naar de vuurtoren.
'Wat zei je vader aan de telefoon?' wil Florian weten.
'Hij zei dat ik meteen naar huis moest komen,' antwoordt Willemijn, 'en ik denk dat hij straks heel boos is.'
Florian zwijgt en hij denkt aan zijn moeder. Zij zal vast ook wel heel boos zijn. Maar ja, het is ook wel een beetje zijn eigen schuld. Hij had nooit met Willemijn op de boot moeten gaan. En nu ... nu moe-

ten ze zelf ook nog terug naar de haven varen.
Hij schrikt als Willemijn een gil geeft: 'Er komt een boot recht op ons af!'
Florian kijkt uit het raam en ziet inderdaad een zeilboot die in hun richting komt.
Willemijn begint hard aan het stuurwiel te draaien.
'Help eens even!' roept ze naar Florian. Florian gaat naast haar op het krukje staan en draait ook aan het wiel.
'Nee, de andere kant op!' roept Willemijn. Ze zien dat de zeilboot snel dichterbij komt en nog steeds recht op hen af vaart.
'We krijgen een botsing,' hijgt Florian en hij probeert nog harder aan het stuurwiel te draaien. Hij valt van het krukje af, maar kan zich nog net aan het stuurwiel overeind houden.
'We botsen!' roept Willemijn en ze doet haar ogen dicht.

15. China in zicht!

De deur van de stuurhut gaat open en Machiel komt binnen.
'Laat mij maar even,' zegt hij met zijn zware stem.
Willemijn en Florian springen meteen van het krukje af. Machiel neemt het stuurwiel van de kinderen over en laat het rustig door zijn handen glijden.
'Ik kan jullie ook niks alleen laten doen,' zegt hij hoofdschuddend. 'Ik wil even rustig een dutje doen terwijl we naar China varen en wat gebeurt er? We hebben bijna een botsing met een zeilboot.'
De boot buigt langzaam naar rechts en ook de zeilboot verandert van richting. Ze passeren elkaar op ongeveer tien meter afstand. Machiel steekt zijn hand op naar de man die op de zeilboot aan het roer staat. De man zwaait vrolijk terug en tikt tegen de rand van zijn pet.
'Even zwaaien,' zegt Machiel tegen Willemijn en Florian. 'Op zee is het de gewoonte dat je altijd naar iemand zwaait.'
Willemijn en Florian doen wat Machiel zegt en ze zien dat de man in de zeilboot nog een keer terugzwaait. Op het achterdek zit een vrouw in een stoel die ook haar hand opsteekt.
Machiel draait het stuurwiel terug tot ze de vuurtoren weer voor zich zien.
'Zo, we zitten weer op koers,' zegt hij en hij wenkt

Florian.
'Nu jij een stukje,' zegt hij.
'Ik hoef niet,' zegt Florian. 'Ik eh ... ik blijf liever kijken.'
'Kom maar,' zegt Machiel vriendelijk, 'dan blijf ik er deze keer wel bij staan.'
Florian stapt aarzelend weer op het krukje en pakt het stuurwiel vast.
'Gewoon rechtdoor,' zegt Machiel, 'en af en toe een beetje bijsturen. Bij een gevaarlijk kruispunt moet je extra goed uitkijken en als er een stoplicht op rood staat, moet je natuurlijk even wachten.'
Willemijn en Florian schieten allebei in de lach.

Langzaam komen ze dichter bij het eiland. Ze kunnen de boten in de haven alweer zien liggen. Florian stuurt met het puntje van zijn tong uit zijn mond. Af en toe geeft Machiel hem een aanwijzing.
'Hoe vaak waren jullie eigenlijk al op mijn boot geweest?' vraagt hij.
'Ik al drie keer,' zegt Willemijn, 'maar voor Florian is het de eerste keer.'
Machiel knikt en plukt aan zijn baard.
'Het was ook wel een beetje mijn schuld,' zegt hij dan. 'Ik had de stuurhut en de kombuis niet afgesloten, omdat ik mijn sleutels kwijt was. Die sleutels lagen trouwens gewoon in een la in de kombuis.'
Zijn stem klinkt opeens helemaal niet brommerig meer.
'Ik kom elk weekend naar het eiland om een eindje te varen,' zegt hij. 'Vroeger was ik visser, maar daar

ben ik nu te oud voor. Vorige week was ik dus mijn sleutels kwijt en ben ik van het eiland vertrokken zonder alles af te sluiten. Ik dacht dat er toch niemand zomaar op mijn boot zou komen.'
Willemijn en Florian kijken beschaamd naar de vloer. Machiel geeft Florian een tikje op zijn arm.
'Voor je kijken en een beetje meer naar stuurboord,' zegt hij, 'anders varen we straks het strand bij De Bruinvis op.'
Florian kijkt hem met grote ogen aan.
'Naar stuurboord?' herhaalt hij.
'Dat is naar rechts,' zegt Willemijn, 'en bakboord is naar links.'
'Zo is het,' zegt Machiel en hij geeft het stuurwiel een zetje in de goede richting.
'Vind je dit een leuk werkje?' vraagt Machiel aan Florian.
Florian knikt zonder opzij te kijken.
'Ik word later ook visser,' zegt hij.
'Oei, dat wordt lastig,' zegt Machiel lachend, 'want er is niet zo veel vis meer in de zee. Misschien kun je beter kapitein worden op een groot schip. Nee wacht, stuurman lijkt me nog beter, want je doet het uitstekend.'
Florian kijkt even trots opzij naar Willemijn.
Machiel gaat voor het raam staan. Hij houdt zijn hand boven de klep van zijn pet en tuurt naar het eiland.
'China in zicht!' roept hij.
'China in zicht!' roepen Willemijn en Florian lachend.

…

'Zal ik het dan nu maar van je overnemen, stuurman?' vraagt Machiel aan Florian.
Florian knikt en stapt van het krukje.
Machiel duwt het krukje met zijn voet aan de kant.
Hij gaat achter het stuurwiel staan met zijn benen een stukje uit elkaar.
Willemijn en Florian kijken uit het zijraam naar het eiland. Ze zijn bijna in China.

16. Wat een avontuur!

De boot gaat langzamer varen en ze glijden naar de houten pier.
'Mijn ouders staan er,' roept Willemijn opeens, 'en jouw moeder ook!'

Even later ligt de boot aan de pier. Machiel tilt Willemijn en Florian over de reling op de pier.
Florians moeder drukt hem stevig tegen zich aan.
'Jongen, wat heb je me laten schrikken,' zegt ze.
Ook Willemijn krijgt een dikke knuffel van haar vader en moeder.
Machiel stapt op de pier en geeft Florians moeder en Willemijns ouders een hand.
'Ik heb hier twee boeven,' zegt hij. 'Weet u misschien een gevangenis waar we ze veilig kunnen opbergen?'
'Dat weet ik wel,' zegt Willemijns vader. 'We doen ze handboeien om en ze krijgen alleen nog water en brood.' Hij probeert boos te kijken, maar hij lacht erbij.
'Ik heb een heel eind gestuurd,' zegt Florian tegen zijn moeder, 'en ik wil later kapitein of stuurman worden op een heel groot schip. O ja, en ik weet ook wat stuurboord en bakboord is, mam.'
'Dat is mooi,' zegt zijn moeder, 'maar ik ben heel ongerust geweest. Ik hoop dat je dat goed begrijpt. Je had wel aan de andere kant van de wereld terecht

kunnen komen.'
'Of in China,' zegt Machiel en hij geeft Florian een piepklein knipoogje.
'Laten we maar gauw naar huis gaan,' zegt de moeder van Willemijn.
Ze nemen afscheid van Machiel, die hen nazwaait tot ze van de pier aan wal stappen. Dan springt hij aan boord van zijn boot en zien ze hem niet meer.

Onderweg vertellen Willemijn en Florian alles wat ze meegemaakt hebben.
'Jullie zijn wel erg dom geweest,' zegt de vader van Willemijn. 'Het had heel anders kunnen aflopen.'
'Het was mijn schuld,' zegt Willemijn zacht, 'want ik had Florian meegenomen naar de boot.'
'Nee hoor, het is ook de schuld van Florian,' zegt Florians moeder. 'Florian had zelf ook beter moeten weten.'
'Krijgen we ook straf?' vraagt Florian.
'Daar zullen we het nog wel over hebben,' antwoordt zijn moeder. 'We zijn blij dat jullie terug zijn, maar jullie hadden geluk dat die meneer zo aardig was.'
Ze kijkt opzij naar Florian.
'Was dat trouwens dezelfde man die jou bijna omverreed op de fiets?'
Florian knikt. 'Ja, en ik had hem op de boot ook al gezien.'
Florian kijkt nog een keer achterom naar de pier.
De boot van Machiel kan hij nog net zien, maar Machiel zelf niet meer.

...

Florian denkt aan het gekke gevoel dat hij had toen hij nog thuis was. Het gevoel dat het de spannendste vakantie van zijn leven ging worden. Dat gevoel klopte wel. Willemijn en hij zullen wel straf krijgen, maar dat is niet erg. Wat een avontuur hebben ze beleefd! En later ... later word ik stuurman op een boot of kapitein op een groot schip. En dan vaar ik helemaal naar eh ... helemaal naar China!

In deze serie zijn verschenen:

Vinden ze ons dan niet schattig?

Hij ligt nog in die vrachtwagen!

Honden in de nesten

Oude, trouwe Lobbes

Meester Moppermans

Rumoerige nachten

Het meisje in de maan

Selma Noort
Hij ligt nog in die vrachtwagen!
start

Dirk Nielandt
Honden in de nesten
op weg

Elisabeth Marain
Rumoerige nachten
extra

Peter Vervloed
Het meisje in de maan
extra